NINA STARDUST

3

Satoshi Fukushima

星屑ニーナ

INDICE

CAPITOLO 15
PIPPI NEL PAESE DELLE MERAVIGLIE

UEEEH!
UEEEH!
UEEEH...
...
SBAM
CLANG
SDONG
...
MAMMA...
PAPÀ...

MAMMA!
PAPÀ!
SNIFF...
NON C'È NESSUNO...
THUD
RATTLE
WAH!
STONF
HO FAME...
ZOT

SWISH
SWISH
SWISH
SWISH
スコ
ZOT
ZOT
ZOT
ZOT
ZOT
ZOT
ZOT
ZOT
ZOT
ZOT
ZOT
ZOT
ZOT
AH...
AH!
AH!
AH...
FRUSH
ザ
SEI UNA DEA?

UN...
UNO SCARABEO RINOCERONTE?
STATE BENE, MAESTÀ?
MAESTÀ!
SANO E SALVO!
MAESTÀ!
È IL NOSTRO RE!
OOOH
オオオオ
NON È CHE...
... SEI UN'UMANA?
...
LO SCARABEO RINOCERONTE HA PARLATO!

ZAAAAAAAAAASH
ZAAAAAAAAAASH
UHM...
A GUARDARTI BENE...
ZASH
SÌ, SEI PROPRIO UN ESSERE UMANO.
...
AH...

QUINDI NON SEI UNA DEA...
... MA UN'UMANA, GIUSTO?
UMANA?
...
SÌ.
LO SAPEVO.
ALLORA, PERCHÉ TE NE SEI RIMASTA CHIUSA LÀ DENTRO FINORA?
NON NE SO MOLTO...
ACCIDENTI! NON CI CAPISCO PIÙ NIENTE!
UHM...
ギュチ
CRICK
CHI SEI? CE L'HAI UN NOME?
GROOOOWL
IO...
... STO MORENDO DI FAME!

...
DOPO CHE AVRAI RISPOSTO ALLE MIE DOMANDE...
... TI DARÒ LA SBOBBA.
TIP
OH!
SENTA...
DOVE SIAMO QUI?
NON CI SONO ALTRI UMANI?
...
CRICK
TI HO FATTO DUE DOMANDE POCO FA... O NO?
MI HAI SNOBBATO...

PA-
PA-PA!
ZAAAASH
ZASH
FERMI!
MI HAI
CHIESTO
DOVE
SIAMO?
SIAMO
SULLA
TERRA.
...

DASH
E IO SONO IL GRANDE SOVRANO CHE LA GOVERNA...
HERACLES TERZO!
OOOOOH
ZASH
I...
IO SONO PIPPI!
HO UN ALTRA DOMANDA...
CHIEDO SCUSA.

MI CHIEDI SE CI SONO ALTRI UMANI?
UHM ...
BASH
PORTATEMI QUELLA COSA!
ZAAAASH
AH!
RUUUMBLE
LA SCATOLA IN CUI TE NE STAVI RINCHIUSA È QUESTA, NO?
SEI RIMASTA LÌ DENTRO PER MILLE ANNI...
MILLE ANNI?
ESATTO. MILLE ANNI...
... DA QUANDO GLI UMANI SI SONO ESTINTI.

BASH
LUNGA VITA AL RE!
LUNGA VITA AL RE!
LUNGA VITA AL RE!
LUNGA VITA AL RE!
LUNGA VITA AL RE!
LUNGA VITA AL RE!
LUNGA VITA AL RE! LUNGA VITA AL RE!
LUNGA VITA AL RE!
LUNGA VITA AL RE! LUNGA VITA AL RE!
LUNGA VITA AL RE! LUNGA VITA AL RE! LUNGA VITA AL RE!
LUNGA VITA AL RE! LUNGA VITA AL RE!
LUNGA VITA AL RE!
LUNGA VITA AL RE!
EHM...
LUNGA VITA AL RE!
LUNGA VITA AL RE!

SE GLI UMANI SI SONO ESTINTI ...
... CHE N'È STATO DI MAMMA E PAPÀ?
LUNGA VITA AL RE!
LUNGA VITA AL RE! LUNGA VITA AL RE!
SONO MORTI, OVVIO.
LUNGA VITA AL RE!
?
PA-PA-PA-PA-PA-PA-PA-PA-PA-PA!

PA-PA-PA-PA-PA!
UGH!
PA-PA-PA-PA-PA!
PA-PA-PA!
PA-PA-PA-
PA-PA-PA-PA-PA!
WHOOM
WHOOM
WHOOM
WHOOM
PER-CIÒ...
... FARÒ TUTTO QUELLO CHE VORRAI. BASTA CHE TE NE STAI ZITTA...
GWAH
AH!
SIGH!
PLIC

...
DAVVERO?!
...
IO SONO HERACLES TERZO.
IL GRANDE SOVRANO DI QUESTO PAESE.
LA PREGO, MI FACCIA INCONTRARE IL PAPÀ E LA MAMMA!
UHM...
NON C'È NULLA CHE IO NON POSSA FARE.
MI HAI CHIESTO DI FARTI INCONTRARE I TUOI GENITORI, EH?
ALLORA VATTENE IN UN POSTO DOVE IL MIO SGUARDO NON POSSA RAGGIUNGERTI...
... E MUORI SOLA COME UN CANE.
IN QUESTO MODO POTRAI INCONTRARE I TUOI GENITORI ALL'ALTRO MONDO.
EH?
SWISH

ZASH
ESILIATELA.
CLACK
EH?
SENTA...
IO STO MORENDO DI FAME...
TIP
QUESTO PERCHÉ SEI UNA BIMBA UMANA.
PERSINO IO SO ESSERE CLEMENTE...
TI ESILIERÒ CON UNO SMISURATO SERVIZIO ESCLUSIVO.
SE VUOI MANGIARE, SARÒ IO A DARTI DEL CIBO.
...
QUINDI...

... TI APRIRÒ UN BUCO IN TESTA...
BZZZ ザワ
BZZZ ザワ
BZZZ ザワ
BZZZ ザ
... E PROSCIUGHERÒ I LIQUIDI DEL TUO CORPO.
BASH
ZASH
NON VOGLIO PIÙ DORMIRE...
FRUSH

...
BAM
POFF
GROOOOOWL
COS'È QUESTO POSTO?
FRUSH
...
CLACK
TROVAMI QUALCOSA DA MAN-GIARE.

TIKI TIKI
TIKI
TIKI TIKI TIKI
HO LE COMODITÀ MODERNE DALLA MIA PARTE.
non commestibile
non commestibile
non commestibile
TIKI TIKI
TIKI
BIP
AH!
QUI?
BIP
BIP
BIP
BIP
BIP
BIP
BIP BIP BIP
BIP BIP BIP BIP
OH...
BIP
BIP
BIP
BIP
BIP
QUI CE N'È UN NUMERO IMPRESSIONANTE!

ズーン
BZZZZZZ
ズーーン
BZZZZZZ

ズーン
BZZZZZ
ズーン
BZZZZZ

FRUMP
QUESTA È DAVVERO LA TERRA?
FORSE, SE CHIEDO SCUSA ADESSO, ANNULLERANNO L'ESILIO...
WOOOOSH
ZUN
?!

KYAAAAH!
ZUN
ZUN
ZUN
CRACKLE
PA-PA-PA-PA-PA-PA-PA!
TAP
TAP
TAP
TAP
BLINK
TAP
EH?
È SPARITO.
TAP
TAP
TAP
AAAAAAAAH!
ZUN
WOOOSH
BASTA!
NON NE POSSO PIÙ!
TAP
TAP
TAP

TAP
TAP
TAP
NON POSSO USCIRE DALLA FORESTA!
BZZZZ
BZZZZ
NON POSSO USCIRE DALLA FORESTA!
WAAAH!
WOOOSH
ZUN
PA-PA-PA-PA-PA-PA-PA-PA!
WOOOSH
NON POSSO NEMMENO STARE NELLA FORESTA!
ZUN
WAAAH!
WOOOOOSH
ZUN
KYAAAH!
WOOOSH
SBAM
AHI!

ZUN
FIX
PA...
GWIIICK
KWAP KWAP
THUD
UFF...

AH ...
CHE PROFUMINO...
EH?
TÈ...
... E BISCOTTI?

ボー……
FIX
UNO SCOR-PIONE.
GROOOWL

DAM-
MELO.
TIP
SWISH
CRASH
CLAAANG
COSA?!

FSSSH
...
BLOB
BLOB
CRUNCH
CRUNCH
CRUNCH
GRAB
FSSSH
BLOB
BLOB
BLOB
BLOB
SWISH
CRASH
AN-
CHE
A ME.
FRUMP

LA SEDIA!
...
LA SE-DIA...
BLOB コ
BLOB ポ
BLOB ポ
BLOB ポ
BLOB ポ
FSSSH
FSSSSH
SWOOSH
TUC コッ
SIP ズ...
IL TÈ!

...
STO MORENDO DI FAME.
PER FAVORE, LASCI CHE ANCH'IO MANGI I BISCOTTI CON IL TÈ!
...
DICA QUALCOSA, LA PREGO.
FRUSH
ALTRIMENTI...
SWISH
WHOOM
CRASH
CLAAANG
CLANG
...
WHIN

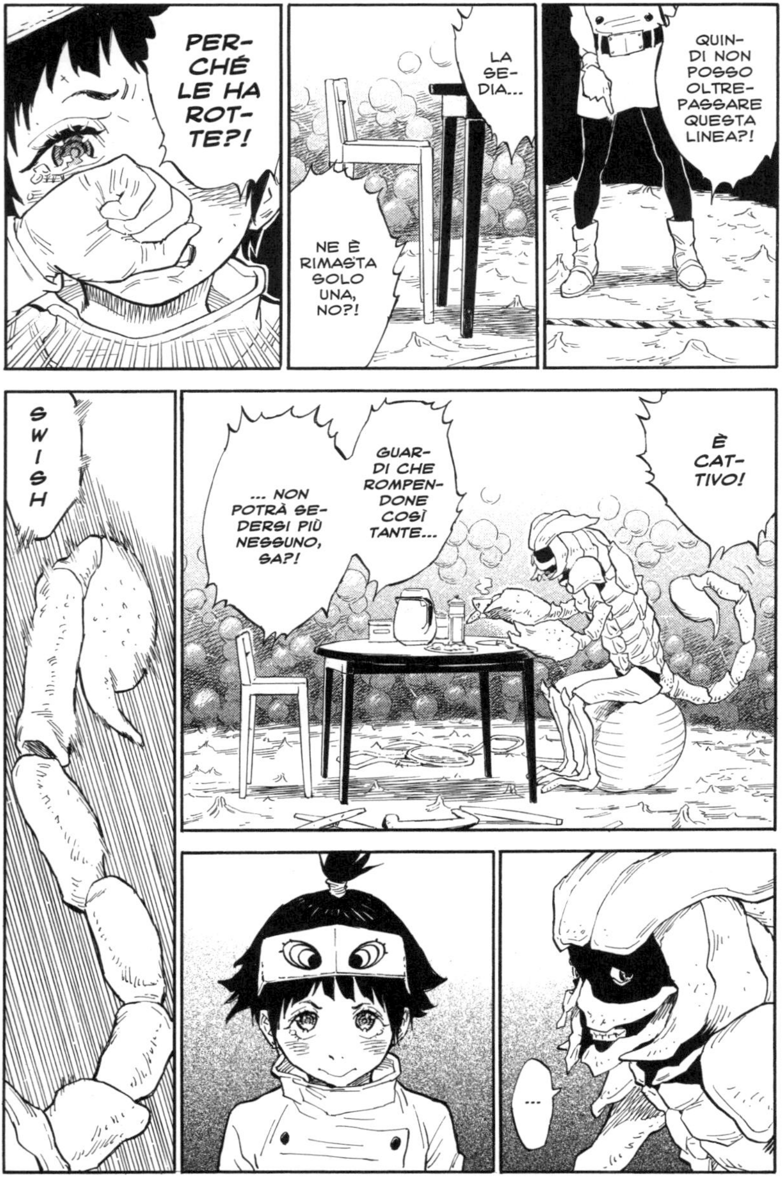
QUINDI NON POSSO OLTREPASSARE QUESTA LINEA?!
LA SEDIA...
NE È RIMASTA SOLO UNA, NO?!
PERCHÉ LE HA ROTTE?!
È CATTIVO!
GUARDI CHE ROMPENDONE COSÌ TANTE...
... NON POTRÀ SEDERSI PIÙ NESSUNO, SA?!
SWISH
...

CRASH
...
NON AVEVO NEMMENO... OLTREPASSATO LA LINEA.
...
ORA NON SI PUÒ PIÙ SEDERE NESSUNO!

IO STO BENE ANCHE DA SOLO.
...
LA MAMMA DICEVA...
... CHE LE PERSONE NON POSSONO VIVERE DA SOLE!
...
IO NON SONO UNA PERSONA.
UGH!
WHIN

GRAB
ZASH
FRUSH
FRUSH
FRUSH
FRUSH
ZASH
ZASH
GRIP
ZASH
SWIIISH
NON AVVICINARTI OLTRE!
IL VELENO DEL PUNGIGLIONE PUÒ SCONFIGGERE ANCHE IL GRANDE RE DELLE PULCI IN UN COLPO SOLO.
...

SIGNI-FICA...
... CHE MI HA SALVA-TA?
TAP
TAP
TAP
TAP
TAP
NON CI SONO PIÙ SEDIE DA ROMPERE, GIUSTO?
OPPURE ROMPERÀ ANCHE LA SUA?
...
CHE STAI FACEN-DO?

AGGIUSTO LA SEDIA!
...
GRO OWL
?!
SE RIESCO AD AGGIUSTARLA...
... VOGLIO TÈ E BISCOTTI!
ボロリ
RATTLE
SWISH
ECCO! AGGIUSTATA!
RATTLE
RATTLE

BLOB
BLOB
BLOB
BLOB
...
B...
B...
BUON APPE-TITO.
GNAM
GNAM
GNAM
GNAM
BONIFFIMO!

...
BUONISSIMO!
GNAM GNAM GNAM
BUONISSIMO!
GLU...
BUONISSIMO.
DAVVERO DELIZIOSO.
CHE BUONO!
È BUONO, EH?
COSA SEI TU?
IO SONO PIPPI.
SEI...
SEI SOLA?
...
MUNCH
MUNCH
MUNCH
MUNCH

A QUANTO PARE, SÌ.
MUNCH MUNCH
AVEVO UNA MAMMA E UN PAPÀ, MA...
... MILLE ANNI FA...
MUNCH
MUNCH MUNCH
AH!
PERÒ ...
... CI SEI TU, SCORPIONE!
NON AVERE NESSUNO CON CUI PARLARE...
... E BERE IL TÈ DA SOLO...
... È TRISTE!
DATO CHE SONO SOLA ANCH'IO, CERCHIAMO DI ANDARE D'ACCORDO!
SE C'È QUALCOSA CHE POSSO FARE PER TE...

PLIC
PLIC
PLIC
UH?
UUUH...
PLIC
PLIC
PLIC
ガタタ
SKRAAANG
SCORPIONE, TI SEI MESSO A PIANGERE?!
UUUH...
...
UUH...
EPPURE SEI UNO SCORPIONE...
UUUH...
PERCHÉ PIANGI?!

(CAPITOLO 15) FINE

CAPITOLO 16
AI CONFINI DELLA TERRA

COS'È QUELLO?
EH?
QUESTO, DICI?
...
QUESTI OCCHIALINI SONO...
... UNA COMODITÀ MODERNA.
...
COSA FANNO, IN PRATICA?
ECCO...

non commestibile
non commestibile
non commestibile
non commestibile
PER ESEMPIO, CERCANO COSA PUÒ ESSERE MANGIATO...
CAPISCE ANCHE SE È BUONO.
CONTROLLA LO STATO DI SALUTE E LA GESTIONE DELL'IGIENE.
COSE DI QUESTO TIPO...
SI PUÒ ANCHE GIOCARE.
NON C'È NIENTE CHE PUOI FARE CON QUELLO?
GRIIIP
PER COSA?
...
GRIIIP
FINO A QUANDO HAI INTENZIONE DI STARE QUI?
PLIC
PLIC
TI SENTI TRISTE QUI DA SOLO, NO?
EH! EH! EH!
SEI TU A SOFFRIRE DI SOLITUDINE.
TANTO PER COMINCIARE, SEI TU QUELLA SOLA.
L'UMANITÀ È CADUTA IN ROVINA E SEI L'UNICO ESSERE UMANO RIMASTO.

UFF
CHI SE NE FREGA DELL'UMANITÀ!
BASTA CHE PAPÀ E MAMMA STIANO BENE!
SEI PROPRIO...
... UN ESSERE UMANO.
MAGARI, SPUNTERÀ FUORI QUALCUNO DA QUALCHE PARTE...
... CHE SI OCCUPERÀ DELLE PULCI, IN QUALCHE MODO!
A TE STA BENE?
L'UMANITÀ È STATA DISTRUTTA.
INOLTRE...
... LA TUA MAMMA E IL TUO PAPÀ NON SONO PIÙ IN QUESTO MONDO.
PERCHÉ MI DICI QUESTO?!
È LA VERITÀ.
ADESSO BASTA!
D'ORA IN POI NON TI PARLERÒ MAI PIÙ! CASCASSE IL MONDO!

CA-SCAS-SE IL MONDO, EH?
UMPF!
POSSO DIRE UNA COSA?
AVEVI DETTO CHE NON MI AVRE-STI PAR-LATO MAI PIÙ, NO?!
ANCHE SE HO DETTO COSÌ, NON PARLA-VO SUL SERIO!
...
SWISH
UH...

GULP
URGH...
...
VUOI UNA PROVA DEL FATTO CHE L'UMANITÀ SI SIA ESTINTA?
EH?

TI PORTERÒ...
... AI CONFINI DELLA TERRA.
?
...
I CONFINI DELLA TERRA?
SE TE LO SPIEGASSI, NON CAPIRESTI.
GWOH!
FLAP
PER QUANTO NON TI PIACCIA, RIUSCIRAI AD ACCETTARE L'ESTINZIONE DELLA RAZZA UMANA...
... SE VEDRAI CON I TUOI OCCHI CIÒ CHE L'HA CAUSATA, GIUSTO?

クォー GWOH
クォー GWOH
クォー GWOH

QUESTI SONO I CONFINI DELLA TERRA.
FLAP
WOOOOSH
...
CHE STAI FACENDO?
QUESTI NON SONO I CONFINI DELLA TERRA.
È SOLO UN PRECIPIZIO.
QUESTA È LA PROVA DEL FATTO...
... CHE SEI L'ULTIMO ESSERE UMANO.
VIENI QUI E DAI UN'OCCHIATA.
COSÌ CAPIRAI.

NON VOGLIO VEDERE.
ALLORA NON GUARDARE.
URGH...
...
SEI SICURA DI NON VOLERLO FARE?

...
DAVANTI A TE C'È UN ENORME SCHELETRO DI PESCE, GIUSTO?
SÌ.
HO SENTITO DIRE CHE, TANTO TEMPO FA...
... QUEL-LA COSA VOLAVA NEL CIELO E SI SCA-TENAVA.
ワホー GWOOH
ワホー GWOOH
NON SI SA SE SIA VERO...
È VERO.
MAMMA E PAPÀ LA CER-CAVANO.
MILLE ANNI FA, INTEN-DO.
...

AVREI VOLUTO CHE TE NE FOSSI ACCERTATA CON I TUOI OCCHI, MA...
... SARÒ IO A DARTI UNA DIMOSTRAZIONE.
FRUSH
EH?
FRUSH
SCORPIONE?!

TAP
TAP
TAP
DASH
?!
SWISH
SWISH
EH?!
COS'È?
CHE SIGNIFICA?!
CIAO! ECCOMI!
SWIIISH
CI SONO.

IN PAROLE POVERE...
... LA FORZA DI GRAVITÀ FUNZIONA.
SIGNIFICA CHE LA TERRA È ROTTA.
È QUESTA...
... LA RAGIONE CHE HA PORTATO ALLA DISTRUZIONE DEGLI UMANI.
...
NON POSSO VENIRE DA QUELLA PARTE.
SE LO FACESSI, NON POTREI PIÙ INCONTRARE IL PAPÀ E LA MAMMA.
...
SWISH
SWISH

EHI, TU!
DOVE VAI?
DA NES-SUNA PAR-TE.
TAP

GLI UMANI SONO STATI SPAZZATI VIA.
NON POTRAI INCONTRARE I TUOI GENITORI IN NESSUN MODO.
TAP
TAP
TAP
ACCIDENTI.
GLI ESSERI UMANI SONO CREATURE INCOMPRENSIBILI.

ANF...
ANF...
ANF...
SEI STANCA, VERO?
...
...
IO FACCIO UNA PAUSA LAGGIÙ.
GIÀ CHE RIPRENDO FIATO, PENSAVO DI APPROFITTARNE PER MANGIARE, DATO CHE HO FAME.
TU CHE FAI?
...
GROOOWL
OKAY, RICEVUTO.

ZAC
ZAC
AVANTI.
QUI NON CI SONO TÈ E BISCOTTI.
LA TUA PARTE.
GRAAAZIE MIIIILLE.
...
HO SOLO QUESTO COME CIBO.
SNIFF SNIFF
SNIFF
...

TIKI TIKI TIKI
“IO NON POSSO MANGIARE.”
EH?
IMITO HOSHIKUZU.
GLI ASSOMIGLIO?
CHI SAREBBE?
IL ROBOT CHE SI PRENDE...
... CURA DI ME.
ROBOT?
I ROBOT...
... LAVORANO AL SERVIZIO DEGLI UMANI...
... E NON POSSONO DISOBBEDIRE.
...
GLI ESSERI UMANI...
... SONO CREATURE DAVVERO EGOISTE, EH?
IN QUESTO CASO, ANCHE TU DOVRESTI FARE QUELLO CHE TI PARE.
SÌ. FARÒ COSÌ.

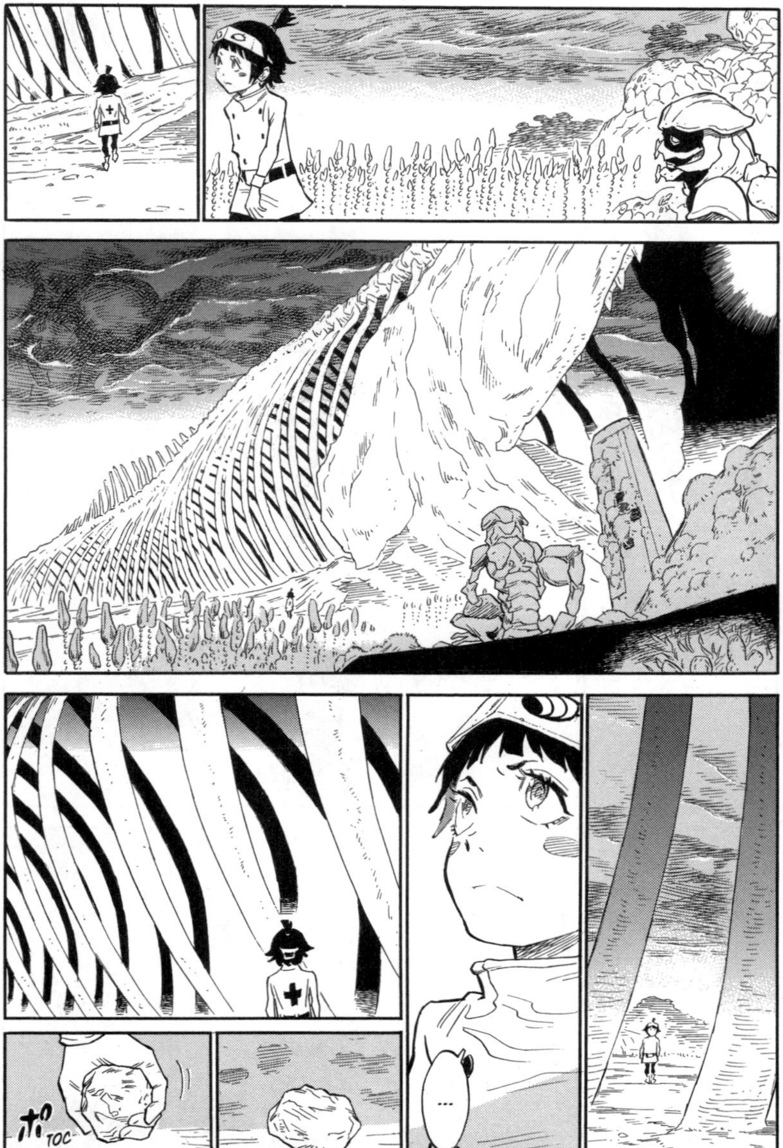

ポ
TOC
...

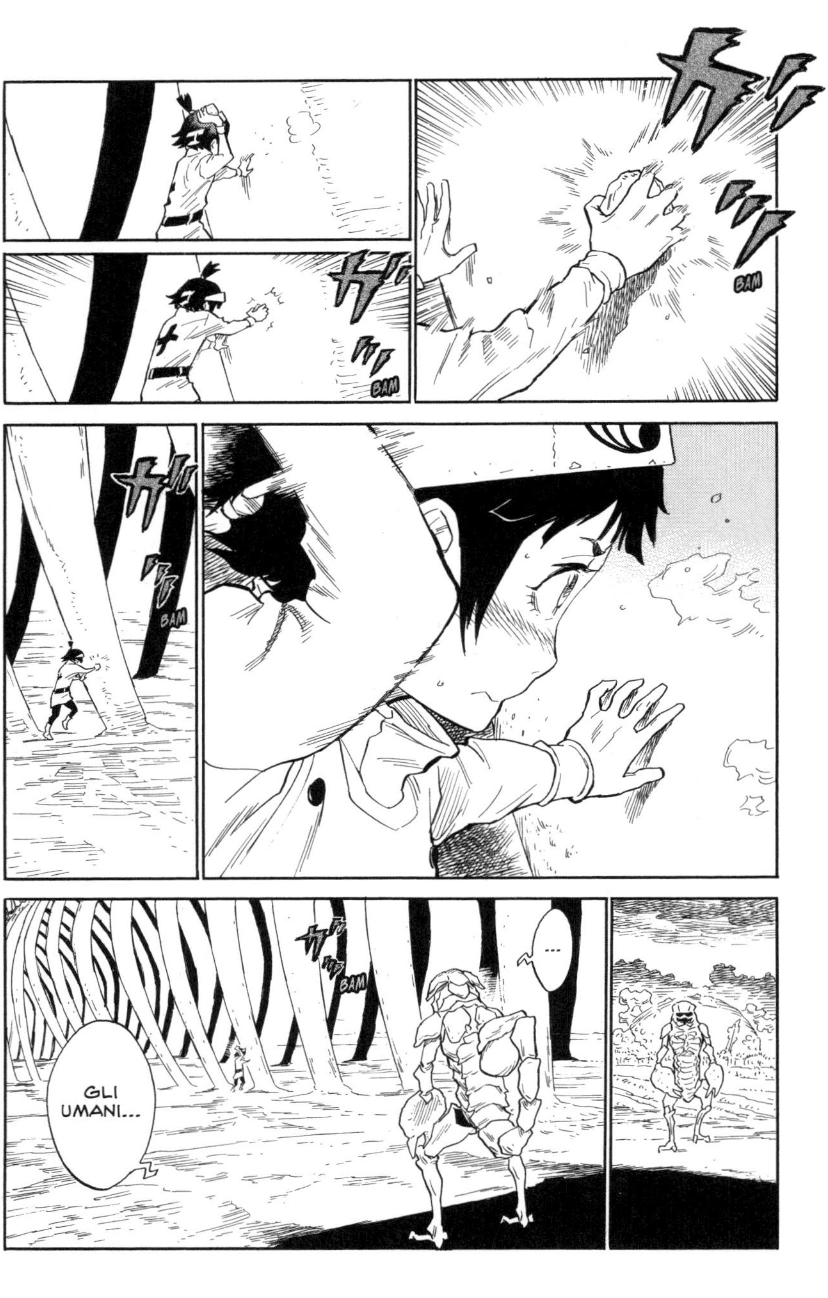
BAM
BAM
BAM
BAM
...
GLI UMANI...

BAM
UGH!
PA-PA-PA-PA!
BAM
UGH!
GRRR...
PA-PA-PA-PA!

CRASH
...
LO SCHELETRO, DENTRO...
... È VUOTO...
UH?
RUUUUMBLE
?!
STONF

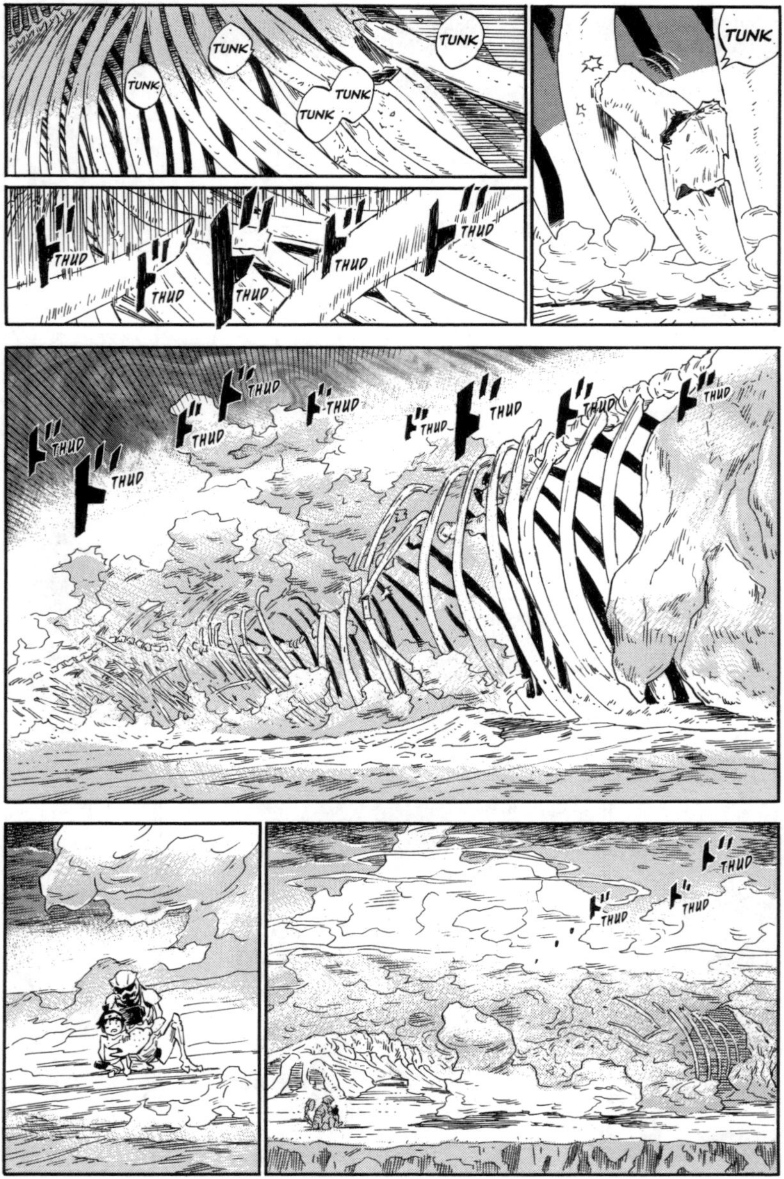
TUNK
TUNK
TUNK
TUNK
TUNK
TUNK
ド THUD
ド THUD
ド THUD
ド THUD
ド THUD
ド THUD
ド THUD
ド THUD
ド THUD
ド THUD
ド THUD
ド THUD
ド THUD
ド THUD
ド THUD
ド THUD
ド THUD

GNAM
MUNCH
MUNCH
MUNCH
MUNCH
GNAM
...
GROOOWL
MUNCH
MUNCH
GLOMP
MUNCH
MUNCH
MUNCH
MUNCH
MUNCH
MUNCH
GNAM
AAAH ...

TAP
SWIRL
GRAZIE PER PRIMA.
MA PERCHÉ MI STAI SEGUENDO?
...
FACCIO QUELLO CHE MI PARE.
...
AH, SÌ?

ゴシ FRUSH
ゴシ FRUSH
ゴシ FRUSH
ゴシ FRUSH
ゴシ FRUSH
ゴシ FRUSH
UN...
UN UMA-NO...

UN UMA-NO.
UN UMA-NO.
UN UMA-NO.
UN UMA-NO.
GIÀ...
BASH
BUON-GIORNO, SIGNORE!
BASH
BASH
IO SONO PIPPI!
COSA CI FA QUI?
FWIP
FWIP
FWIP
AH!
STA FA-CENDO IL BAGNO?!
E LE SI SONO APPANNATI GLI OC-CHIALI?!

CO...
COMUQUE, SIGNORE...
NON È STRANO?! SEMBRA CHE LA RAZZA UMANA...
... SI SIA ESTINTA!
STA BENE, QUI DA SOLO?!
...
CERTO CHE NON STA BENE, VERO?
SE VUOLE, POSSO DARLE...
... I MIEI OCCHIALINI!
CON QUESTI PUÒ FARE QUALUNQUE COSA.
EHI.
È UNA COMODITÀ MODERNA.
FRUSH
PREGO, LI USI PURE.
TUP

CLACK
FRUSH
サァ
SWAAAAASH
EH?
EHM...
MI DÀ I SUOI OC-CHIALI?
AH.
LA RIN-GRAZIO.

COME MI STANNO?
EH! EH! EH!
SEI SICURA DI VOLERGLI DARE GLI OCCHIALINI?
SÌ!
PERCHÉ IO HO TE, SCORPIONE.
...
SIGNORE
SE CI FOSSE QUALCOSA CHE LA TURBA...
... USI QUEGLI OCCHIALINI.
FRUSH
BIP

CHE COS'È?
FRUSH
PIP
...
... FAI COSÌ E RE-CITA "BUONA FORTUNA"!
QUANDO HAI UN INCUBO...
?!
...
RATTLE
?

SWIIIISH
!
PIPPI!
DASH
WAH!
スコ ZOT スコ ZOT スコ ZOT スコ ZOT スコ ZOT スコ ZOT スコ ZOT スコ ZOT スコ ZOT スコ ZOT スコ ZOT
UGH!
SPLASH

... HE-RACLES TERZO!
IL GRANDE SOVRA-NO...
SONO IO! PRO-PRIO IO!
ZASH
CI HANNO CIRCON-DATI?!
ZASH
ZASH
TUT-TO SE-CONDO I PIANI!
COSA?
È LUI! È LO SCA-RABEO RI-NOCERONTE CHE MI HA MANDATO VIA!

H'' H'' H'' H'' H''
ZAAAAAAASH
LASCIARE LIBERA LA MARMOCCHIA SI È RIVELATA LA MOSSA GIUSTA!
SCORPIONE!
LA BAMBINA È DIVENTATA LA TUA DEBOLEZZA.
TI SENTIVI SOLO, EH?!
PUOI ANCHE ESSERE INVINCIBILE...
... MA CON UNA PALLA AL PIEDE DA DIFENDERE, È TUTTA UN'ALTRA STORIA!
GLI ELEMENTI DI DISTURBO DI QUESTA NAZIONE...
... VANNO ELIMINATI. TUTTI E DUE.
PIPPI.
ASCOLTA ATTENTAMENTE CIÒ CHE TI DIRÒ.
EH?

SCAPPA DA SOLA OLTRE I CONFINI DELLA TERRA.
IO TERRÒ OCCUPATI QUESTI TIZI.
NON VOGLIO!
SE VADO DA QUELLA PARTE, NON POTRÒ PIÙ VEDERE IL PAPÀ E LA MAMMA.
TU...
... SEI DAVVERO IMPOSSIBILE.
PUNTATE!
ZASH
EH?!
DOV'È QUEL SIGNORE?!

FUOCO!
SWISH
SWISH
SWISH
SCAPPA!
ZOT
ZOT
ZOT
ZOT
ZOT
ZOT
DASH
PIP
BUONA FORTUNA!

あ゛ PA
あ゛ PA
あ゛ PA
あ゛ PA
あ゛ PA
あ゛ PA
あ゛ PA
あ゛ PA
あ゛ PA
あ゛ PA
あ゛ PA
あ゛ PA
あ゛ PA
あ゛ PA
あ゛ PA
あ゛ PA
NON POTE-VO...
... SAL-VARMI....
... SOL-TANTO IOOO...
OH. ... OOO...

QUESTI SONO I CONFINI DELLA TERRA.
FLAP
SÌ.
WOOOSH
GUARDA CHE LO SO!
COSA?
...
È VERO.
AH...
COSA SIGNIFICA?
DOV'È FINITO L'IMPERATORE?
DOVE SONO LE FRECCE CHE HANNO LANCIATO?
DOV'È QUELL'UMANO?

NON LO SO.
AH.
FORSE È COLPA DI QUESTI?
TE LO RIPETO...
COSA SIGNIFICA?
IL TEMPO È TORNATO INDIETRO?
UN SALTO TEMPORALE?

(CAPITOLO 16) FINE

CAPITOLO 17
CHI VA PIANO, VA SANO E VA LONTANO
18

スー…
WOOOSH
CON QUESTI OCCHIALI...
... POTRÒ INCONTRARE PAPÀ, MAMMA E HOSHIKUZU!
POSSO TORNARE INDIETRO DI MILLE ANNI...
...
INDIETRO DI MILLE ANNI?
NORMALMENTE SI PUÒ TORNARE INDIETRO DI MILLE ANNI?
TU CHE NE PENSI, SCORPIONE?
NORMALMENTE NON SI PUÒ.
ANCHE SE PRIMA SIAMO RIUSCITI A TORNARE UN PO' INDIETRO.
MA MILLE ANNI... NON LO SO.

NON LO SAI?
NON LO SO.
È OVVIO CHE ANDRÀ BENE, NO? PROPRIO COME PRIMA.
NON È SICURO.
SÌ, CHE LO È.
HO DETTO DI NO.
INVECE SÌ!
ALLORA PROVACI!
L'AVREI FATTO ANCHE SENZA CHE ME LO DICESSI TU!
スチャ CLACK
...
...
SCORPIONE...
ホ SNIFF
COSA DOVREI DIRE A MAMMA E PAPÀ, UNA VOLTA CHE LI VEDRÒ?
UFF...

EHI, SENTI!
CREDI CHE MAMMA E PAPÀ VORRANNO SENTIRSI DIRE QUALCOSA?
CHE NE SO?
EH? NON LO SAI?
SONO SICURA CHE MAMMA MI ABBRACCERÀ FORTE FORTE!
E FORSE PAPÀ PIANGERÀ DI GIOIA!
YAAAH!
COSA DOVREI FARE, SE SUCCEDESSE?
COMPORTATI COME AL SOLITO, NO?
WHIN
...
EH! EH!
MI SEMBRA UN SOGNO!
SCORPIONE, DAMMI UN PIZZICOTTO SULLA GUANCIA!
ZASH
AH! AH! AH! FRENA L'ENTUSIASMO, È PERICOLOSO.
FINIREI PER FARTELA A PEZZETTI!
...
BENE...

STAVOLTA VADO SUL SERIO!
SALTO TEMPORALE!
DASH
ス—…
FRUSH
BUONA FORTUNA!
PIP
POFF
...
ANDRÀ TUTTO BENE?

MILLE ANNI PRIMA...
POFF
DASH
...
UH?

PAPÀ ...
...
COSA SONO QUEGLI OCCHIALI?
EH?
UH?
UN DESIGN COSÌ CLASSICO...
... SAREBBE ALLA MODA?
QUINDI TUTTO TORNA IN AUGE DOPO QUALCHE TEMPO... IL PAPÀ ODIA QUESTE COSE.
SEI SEMPRE IL SOLITO, PAPÀ.
SU COSA?

AAAH!
È HOSHIKUZU!
UH?
WAAAAH!
HOSHIKUZU!
...
DEV'ESSERE PERCHÉ ULTIMAMENTE NON È QUASI MAI SVEGLIO.
IN QUESTE CONDIZIONI, ANCHE LE BATTERIE SONO UN PO'...
PIUTTOSTO, PIPPI, CHE TI PRENDE?
HOSHIKUZU È SEMPRE RIMASTO IN MANUTENZIONE.
...
CLICK
E LA MAMMA?
È TUTTO COME AL SOLITO, IMMAGINO.

...
SÌ, COME AL SOLITO, MA....
WHIIIIIN
SODF
SCUSA, PIPPI! È LAVORO!
WHIIIIN
LAVORO...
È ARRIVATA LA CHANNA SPAZIALE!
WHIIIIN
APRITI! MALEDETTO AFFARE!
SBAM
SODF
PAPÀ! MA CHE FAI?!
I VESTITI DI RICAMBIO!
CLONK

* ICHIRIAME, CARAMELLE AL MIELE DELLA CITTÀ DI OGOSE, N.D.T.

WHIIIN
IO SONO IL CAPITANO.
RUI È UN COMBATTENTE.
WHIIIN
WHIIIN
...
MAMMA...
ECCO, VEDI...
TRA MILLE ANNI LA RAZZA UMANA SI ESTINGUERÀ.
E ANCHE LA TERRA SI SPACCHERÀ. SARÀ TERRIBILE, QUINDI...
GRAAAB

WHIIIN
WHIIIN
WHIIIN
MAM-MA....
PIPPI.
TU DEVI SOPRAV-VIVERE.
ECCO...
PERÒ...
...
DEVI SO-PRAVVI-VERE!

WHIIIN
WHIIIN
WHIIIN
...
SÌ...
MOLTO BENE.
RUI!
MI OCCUPO IO DELLA SCIALUPPA DI SALVATAGGIO DI PIPPI!
SALI PER PRIMO SULLA NAVICELLA!
NON SE NE PARLA, CAPITANO.
LASCIA CHE ANCH'IO SALUTI PIPPI.

MILLE ANNI DOPO...
HO FALLI-TO.
...
SBAM
CLANG
SDONG
SIA LA MAMMA CHE IL PAPÀ...
THUD
FRUMP
... ERA-NO SE-RISSIMI.

SE PROVO A SOPRAVVIVERE...
スコ ZOT スコ ZOT スコ ZOT スコ ZOT スコ ZOT スコ ZOT スコ ZOT スコ ZOT
... FINISCE COSÌ.
E POI COSÌ...
ZASH
E COSÌ!
ZUUUN
E ANCORA COSÌ!
EPPURE HO PROVATO A FARE QUALCOSA!
EH?
MA TUTTO SI RIPETE SEMPRE UGUALE...
... O FORSE NO.
SONO TERME.

UNA SETTIMANA DOPO...
RIESCI A CREDERE A QUESTA STORIA?
...
CI SONO DEI PUNTI...
... CHE NON MI SONO DEL TUTTO CHIARI...
... MA IN QUESTA SITUAZIONE...
PIPPI...
QUI SI TRATTA SOLO DI CREDERTI O MENO.
...
E TU MI CREDI?
SÌ.
PERCHÉ NON LO DICI GUARDANDOMI NEGLI OCCHI?

SUPPONIAMO CHE SIA VERO...
COME FARAI A CONVINCERE I TUOI GENITORI?
DIVENTERÒ UNA GRANDE ATTRICE!
...
DIVENTERÒ UN'ATTRICE E RECITERÒ SERIAMENTE.
ANCHE PERCHÉ QUEI DUE ERANO SERISSIMI.
PERCHÉ SONO I TUOI GENITORI.
COMUNQUE...
UNA RECITA RIMANE UNA RECITA.
STARAI BENE?
BASH
PIP
ANCORA UNA VOLTA! BUONA FORTUNA!

MILLE ANNI PRIMA...
COSA SONO QUEGLI OCCHIALI?
...
LASCIA PERDERE QUESTE COSE!
PAPÀ!
...
EH?
LA DOMANDA È...
COSA SCEGLI...
... TRA LA FAMIGLIA E IL LAVORO?

CHE TI SUCCEDE, PIPPI?
SEI DIVERSA DAL SOLITO.
PER QUEL CHE MI RIGUARDA, VOGLIO CHE TU SCELGA LA FAMIGLIA, ASSOLUTAMENTE!
E CON "ASSOLUTAMENTE" INTENDO...
... SENZA DUBBIO!
DI CHE PARLI?
EH! EH!
PAPÀ, SE MI AMI VERAMENTE...
... VOGLIO CHE TU STIA DALLA MIA PARTE E NON DA QUELLA DELLA MAMMA!
S...
SÌ.
C'È ANCORA TEMPO.
ASCOLTA BENE QUELLO CHE HO DA DIRTI!
TEMPO PER COSA?
AH! AH!
AH! AH! AH!

WHIIIN
WHIIIN
WHIIIN
BIP
DASH
AH!
SWOOSH
GRAB
!
THUD
GWAH!
TSK!
CRIC
CRIC
AHI! AHI! AHI! AHI!

WHIIIN
WHIIIN
WHIIIN
LO SAPEVO, LA MAMMA È FORTE...
...
... COSA SIGNIFICA QUESTO, PIPPI?
SPIEGATI.
SONO VENUTA PER PORTARTI ALLA SCIALUPPA DI SALVATAGGIO, MA...
UH...
BLINK

CAPISCO.
È UN BEL PROBLEMA.
WHIIIN
WHIIIN
WHIIIN
...
L'ESTINZIONE DELLA RAZZA UMANA, LA TERRA SPACCATA...
SUPPONIAMO PER UN MOMENTO CHE SIA VERO.
NOI DEL CORPO DI DIFESA DELL'ORDINE SPAZIALE...
...FAREMO COMUNQUE CIÒ CHE POSSIAMO.
IO SCELGO IL LAVORO.
...
BASH

E ALLORA PERCHÉ MI HAI FATTA NASCE-REEE?!
UEEEH! UEEEH! UEEEH! UEEEH!
UEEEH! UEEEH! UEEEH! UEEEH!
...
PIPPI ...
UEEEH! UEEEH! UEEEH! UEEEH! UEEEH!
UMPF ...
STAI FINGENDO, VERO?
GULP
...
“UEEEH!”
“UEEEH!”
“PERCHÉ MI HAI...”
“... FATTA NASCERE?”

PENSACI DA SOLA, STUPIDA!
WHIIIN
NON SONO STUPIDA!
WHIIIN
ASCOLTAMI BENE, STUPIDA PIPPI!
LA RESPONSABILITÀ MINIMA DI UN GENITORE RIGUARDA SOLTANTO LA SALUTE DEI FIGLI!
AL RESTO DOVRAI PENSARCI TU, TUTTA DA SOLA!
GRIIIP
STONK
UGH...
E HOSHIKUZU, ALLORA?
HOSHIKUZU ADESSO NON C'ENTRA!
SE SCAPPO SOLO IO, MI SENTIRÒ SOLA!
ALMENO MANDAMI INSIEME A HOSHIKUZU...

GRAB
WHIIIN
WHIIIN
WHIIIN
...
BWAH
NON DEVO PIANGE-RE.
NON DEVO...
SE PIANGO ADES-SO...
DELLE BATTERIE PER HO-SHIKU-ZU...
... CI È RI-MASTA SOLO QUESTA.

EH?
NON TE L'HO DETTO, MA...
... LA VITA DI HOSHIKUZU È GIUNTA AL TERMINE.
ECCO PERCHÉ, ALMENO ALLA FINE...
NELLA MEMORIA DI HOSHIKUZU CI SONO I RICORDI DI PAPÀ, SAI?
...
ANCHE IO...
... HO ANCORA QUALCOSA CHE NON VI HO DETTO!
SWISH
CLACK
QUESTI OCCHIALI...
... PORTANO NEL PASSATO.

QUINDI LA ME STESSA DI ADESSO, IN REALTÀ...
... È ARRIVATA DA MILLE ANNI NEL FUTURO.
PIÙ O MENO HO CAPITO...
... COME VI SENTITE.
MA MALGRADO QUESTO...
... IO VOGLIO ANCORA SALVARVI!
NON PREOCCUPARTI, PIPPI.
LASCIA FARE A NOI, PIPPI.
STAVOLTA PROVEREMO A STERMINARE LE TESTE DI SERPENTE SENZA CORRERE RISCHI!

MILLE ANNI E UNA SETTIMANA DOPO...
FORSE NON HANNO CREDUTO A UNA SOLA PAROLA DI QUELLO CHE HO DETTO...
...
CAPISCO.
SE LA TUA STORIA È VERA...
... QUELLO CHE VUOI È SALVARE I TUOI GENITORI, GIUSTO?
...
SÌ.
IN QUESTO CASO...
... FORSE NON CI RIUSCIRAI, SE PRIMA NON SALVI LA RAZZA UMANA.
EHM...
PERCHÉ?

LO SAI? QUANDO LA MAMMA MI HA ABBRACCIATA...
... MI È VENUTO DA PIANGERE!
E LA CAUSA DELL'ESTINZIONE DELLA RAZZA UMANA SONO PROPRIO LE TESTE DI SERPENTE...
QUESTO PERCHÉ IL LAVORO DEI TUOI GENITORI CONSISTE NELLO STERMINARE LE CHANNA SPAZIALI.
SEI GIÀ TORNATA DUE VOLTE E HAI FALLITO, NO?
AH, SÌ?
ALLORA, VEDI...
COSA?
グス
SOB
DEVI SALVARE LA RAZZA UMANA...
È L'UNICA.
NON ME NE FREGA NIENTE DEGLI UMANI!
...
A ME...
... BASTA SALVARE...
... IL PAPÀ E LA MAMMA!
BLINK
MA CHE SIGNIFICA?
PROPRIO PER QUESTO...
... DOVRAI SALVARE GLI UMANI.
...

È TERRIBILE! SE SALVO LA RAZZA UMANA...
... PER TE SARANNO GUAI!
...
AH!
...
TU SEI NATO PERCHÉ LA RAZZA UMANA SI È ESTINTA!
SE GLI UMANI NON SPARISCONO, TU POTRESTI NON NASCERE MAI!
È COSÌ, NO?!
EH?
A ME NON IMPORTA DI NASCERE O MENO.
È IL CORSO DELLA NATURA...

...
PER-CHÉ DICI COSÌ?
...
PERCHÉ ...
... DICI COSÌ?
FRUSH
PERCHÉ ...
GROOOOWL

IL TUO STOMACO...
NON STA BRONTOLANDO!
...
FRUSH
PER ORA...
... MANGIAMO QUALCOSA E RIPOSIAMO UN PO'?
IO STO BENISSIMO!
PIUTTOSTO, IL DISCORSO DI PRIMA...
GROOOWL

VORREI MANGIARE IL TÈ CON I BISCOTTI.
...
...
ALLORA TORNIAMO A CASA?
...
D'ACCORDO.
OGGI FAREMO UN'ECCEZIONE.
SÌ.
NON DIRE MAI PIÙ UNA COSA COME QUELLA DI PRIMA.
VA BENE. SCUSA.

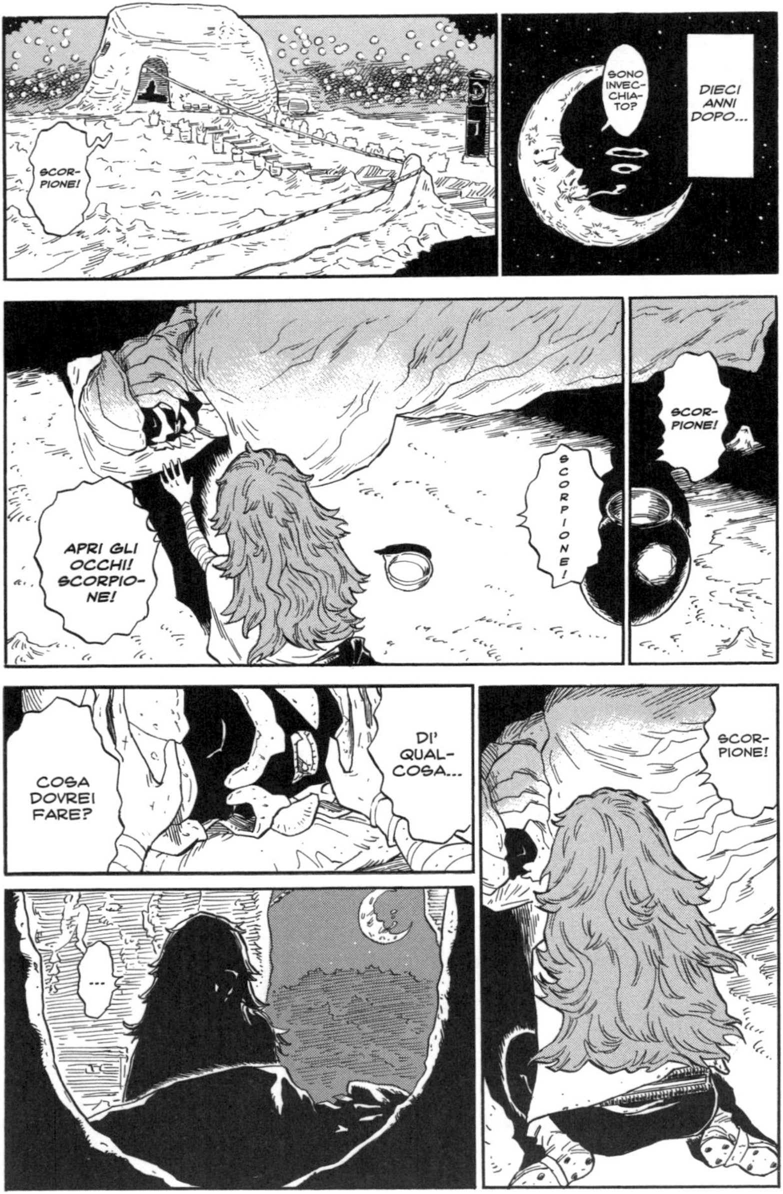
DIECI ANNI DOPO...
SONO INVECCHIATO?
SCORPIONE!
SCORPIONE!
SCORPIONE!
APRI GLI OCCHI! SCORPIONE!
SCORPIONE!
DI' QUALCOSA...
COSA DOVREI FARE?
...

PA-PA-
PA-PA-
PA-PA-
PA-PA!
PA-
PA-
PA!
PA-
PA-
PA-
PA-
PA!
UEEH!
UEEH!
UEEH!
UEEH!
...
DASH
BUONA
FORTUNA!
SNIK
È
GIUSTO
COSÌ.

E SE FACCIO COSÌ?
BAM BAM BAM BAM BAM BAM
1010 ANNI E 7 GIORNI PRIMA...
BLINK
OKAY.

HO-SHIKU-ZU.
TIRATI SU SENZA FARE RUMORE.
SNEECK
SÌ.
...
NE È PASSATO DI TEMPO, EH?
TIKI
TIKI
TIKI
CHI È LEI?
EEEEH?
SONO IO!
PIPPI!

TIKI TIKI TIKI TIKI TIKI TIKI TIKI TIKI TIKI TIKI TIKI TIKI TIKI TIKI TIKI TIKI TIKI TIKI
SSH!
HA LE STESSE REAZIONI VITALI DI PIPPI.
AH, CAPISCO.
ORMAI HO SEDICI ANNI.
COSA SIGNIFICA?
DOPO.
ADESSO EFFETTUERÒ UN SALTO TEMPORALE, PERCIÒ CONTINUA A TENERMI LA MANO.
SALTO TEMPORALE?
HO CAMBIATO IDEA.

NASCONDITI QUI DENTRO, HOSHIKUZU.
È IL SOLITO NASCONDINO?
SODF
SBAM
044
...
PER SALVARE LA RAZZA UMANA...
... LA MEMORIA DI HOSHIKUZU È INDISPENSABILE.
044
CLANG
MI HA CHIAMATO?
THUD
POSSO DIRE ALMENO UNA COSA A PAPÀ...
... GIUSTO?

...
UH?
CHI SEI?
SEI UNA NO-VEL-LINA?
SÌ.
ECCO, IO SO-NO...
... DEL-LA RAC-COLTA RIFIUTI.
UNA FACCIA NUOVA...
MMH...
...
ECCO...

DASH
LA RINGRAZIO PER IL SUO IMPEGNO NELLO STERMINIO DELLE CHANNA SPAZIALI!
EH?
AH...
SCUSAMI.
MI SONO MESSO A SQUADRARTI...
PERÒ...
... HO L'IMPRESSIONE DI AVERTI GIÀ VISTA DA QUALCHE PARTE.
LA MA...
SUA MOGLIE... SIA FELICE CON LEI.
EH?
ECCO, HA UN ANELLO ALL'ANULARE...
AAAH...
HA FIGLI?
SÌ!
UNA FIGLIA. SI È ROTTA UN DENTE, PERCIÒ QUANDO RIDE HA UNA FACCIA BUFFISSIMA!
E NON ASCOLTA MAI QUELLO CHE LE DICE LA GENTE.
È ANCHE OSTINATA, PROPRIO COME SUA MADRE. MA SAI...
È MOLTO VIVACE E CARINA.

(CAPITOLO 17) FINE

PiPPi Selection +
© HOSHIKUZU&NINA
CAPITOLO 18
QUANDO SOFFIA IL VENTO

AH!
MAMMA...

SOOF
ASPETTA.
COSA C'È DENTRO A QUEL CESTO DELLA SPAZZATURA?
SPAZZATURA.
POSSO DARE UN'OCCHIATA?

ECCO ...
NO, NON PUÒ.
WOOOSH
NON TI HO MAI VISTA.
CHI SEI?
COS'ERA LA POSA DI PRIMA?
EH?
INTENDO QUESTA.
BIP
...
ZASH

...
WOOOSH
ZASH
THUD
PIP
BUONA ...
DASH
SODF

WHISH
CRICK
COSA C'È LÌ DENTRO?
DAN
BASH
...
CRACK
CRACK
CRACK
?!

?!
FRUSH
TSK!
ZASH
WOSH
GRAB
GRAB
CRICK
DASH
GRIP
UMPF!
THUD

044
SODF
BAM
WOSH
THUD

BASH
AH!
CLACK
COSA C'È QUI DENTRO?
BASH
SOCK
SODF

ANF!
ANF!
ANF!
ANF!
TE LA CAVI BENE.
BASH
SWISH
...
PER ORA SIAMO PARI.
EH?
IN GUARDIA!
CLANG
CLANG

YAAAH!
THUMP
ズッ TAP
ダッ TAP
?!
ダッ TAP
ダッ TAP
DASH
STOMP

AH!
QUESTA MOSSA NON HA EFFETTO DOVE NON C'È GRAVITÀ!
...
SE CI VAI LEGGERA CON ME, MORIRAI!
BASH
UMPF!
STOMP
BASH
BASH
BASH
CLANG

GRAAAB
GWAAAAH!
あ あ あ あ
AAAAH!
SBAM
SBAM
ス...
SWISH
...
STRONZA ...

HAI VINTO.
PFF!
OKAY!
EH! EH!
ANDIAMO A MANGIARCI UN RAMEN!
EH?
UFF.
...
A QUANTO PARE IL CESTO È VUOTO...
E POI MI È VENUTA FAME, DOPO TUTTO QUESTO ESERCIZIO.
...

NON FARE COMPLIMENTI.
VORREI FARE UNA BELLA CHIACCHIERATA CON TE, CON CALMA.
ANDIAMO!
...
SCUSI...
LA MIA CESTA...
AAAH... HO CAPITO. TI OCCUPI DELLO SMALTIMENTO DEI RIFIUTI?
FA' PURE.
SÌ.
HOP!
FRUMP
FRUMP
SLAM
HOP!
UHM...

CLONK
FSSSH
MMH
SNAP
MAN-
GIA!
OFFRO
IO.
SÌ.
BUON
APPE-
TITO.
UHM.
SODF
CHOMP
MUNCH
MUNCH
MUNCH
MUNCH
MUNCH

SLUUUURP!
MUNCH
MUNCH
MUNCH
MUNCH
!
CHOMP
GLOMP
SLUUUURP!
MUNCH!
MUNCH!
MUNCH!
MUNCH!
MUNCH!
CLACK
MI PIACI.
HAI UN BEL MODO DI MANGIA-RE E SEI DI POCHE PAROLE.
SLUUUURP!

GRA-
ZIE.
MMH.
IO
SONO
POPO...
... IL
CAPITANO
DI QUESTA
NAVE DA
GUERRA.
QUAL È
IL TUO
NOME?
EH?
NON TI AN-
DREBBE DI
LAVORARE
PER ME?

DALLA TUA FACCIA, TI STARAI CHIEDENDO PERCHÉ MAI DOVREI OFFRIRE UN POSTO A UNA RAGAZZA SOSPETTA...
... E SENZA NOME.
...
CHE TU SIA UN'ADDETTA AL RICICLAGGIO DELLA SPAZZATURA O CHISSÀ COS'ALTRO...
... A ME INTERESSA SOLO CHE TU SIA IN GAMBA.
GNIC
FUU
ANCHE SE IL MONDO NON PUÒ CAMBIARE, SE SI È GLI UNICI IN GRADO DI FARE QUALCOSA... EH?!

MI SEMBRA DI CAPIRE CHE SEI IN UNA SITUAZIONE COMPLICATA...
ALLORA, CHE NE DICI? VUOI LAVORARE CON ME?
HAI TALENTO COME SOLDATO.
CHI TI HA CRESCIUTA HA FATTO UNO SPLENDIDO LAVORO.
...
...
FACCIAMO COSÌ.
...
HO UN BISOGNO URGENTE.
NEL MENTRE, RIFLETTI SULLA MIA PROPOSTA.
UN BISOGNO URGENTE?
...
BENE.
SKRANG

CLACK
SODF
SIGNIFICA CHE DEVE ANDARE IN BAGNO.
...
IO...
... HO COMBATTUTO CONTRO LA MAMMA.
TIKI
HA VINTO?
CON LA MAMMA....
CONTRO LA MAMMA...
HO VINTO CONTRO LA MAMMA.
CHE FACCIO?
TIKI TIKI
PERCHÉ È DIVENTATA COSÌ GRANDE ALL'IMPROVVISO?
...
NON SO SE MI CREDERAI, MA...

IN REALTÀ ...
... IO SONO LA PIPPI CHE È VENUTA DA MILLE ANNI NEL FUTURO CON UN SALTO TEMPORALE.
TIKI
SONO DIVENTATA COSÌ ...
... DOPO AVER PASSATO DIECI ANNI NEL MONDO DI MILLE ANNI NEL FUTURO.
RIESCI A IMMAGINARTELO, HOSHIKUZU?
TRA POCO, UN BEL PO' DI CHANNA SPAZIALI...
... ATTACCHERANNO QUESTA NAVICELLA.
CON L'AIUTO DI MAMMA E PAPÀ, LA ME STESSA BAMBINA...
... È RIUSCITA A FUGGIRE A BORDO DI UNA SCIALUPPA DI SALVATAGGIO.
PERÒ ...
... IL LUOGO IN CUI MI SONO RISVEGLIATA DALL'IBERNAZIONE...
... È UN MONDO IN CUI L'UMANITÀ NON ESISTE PIÙ.

TIKI
NON RIESCO A IMMAGINARLO, MA...
... POSSO CAPIRE DI COSA PARLA.
...
LO SCORPIONE MI HA DETTO...
TIKI TIKI TIKI
AAAAH...
VEDI, LO SCORPIONE...
QUEL MONDO È COMANDATO DAL SOVRANO HERACLES TERZO, DELLA STIRPE DEGLI SCARABEI RINOCERONTE.
IL SOLO A COMBATTERLI ERA UNO SCORPIONE UMANOIDE.
E IO CON LUI NON FACEVAMO ALTRO CHE COMBATTERE...
... MA ALLA FINE LA DISPUTA NON È STATA RISOLTA.
...
TIKI TIKI TIKI
NON È UNA STORIA INVENTATA, OKAY?
SÌ.
COSÌ...
QUELLO SCORPIONE MI HA DETTO...

... CHE PER SALVARE MAMMA E PAPÀ...
... AVREI DOVUTO SALVARE LA RAZZA UMANA.
TIKI
IN EFFETTI...
... HO PROVATO VARIE VOLTE A SALVARE I MIEI GENITORI...
... MA HO SEMPRE FALLITO.
PERCHÉ STERMINARE LE TESTE DI SERPENTE È IL LORO LAVORO.
MAMMA E PAPÀ NON POTEVANO CERTO SCAPPARE.
TIKI
TIKI
TIKI
E IO ERO SOLO UNA BAMBINA...
ADESSO INVECE LO CAPISCO.
TIKI TIKI
TIKI
COM'È RIUSCITA A TORNARE DI NUOVO QUI CON UN SALTO TEMPORALE?
CHIEDO SCUSA.
WHOOON
WHOOON
WHOOON

POSSO PORTARE VIA I PIATTI?
WHOOON
SÌ.
OH, ISSA.
CLACK
A PROPOSITO, HOSHIKUZU.
WHOOON
...
SAI CHE COS'È UN SALTO TEMPORALE?
TIKI TIKI TIKI TIKI
COME NOZIONE GENERALE...
... IO COMPRENDO TUTTO CIÒ CHE DERIVA DALLE MEMORIE DELLE MIE ESPERIENZE PASSATE.
QUANDO NELLA MIA TESTA RIAFFIORANO QUELLE MEMORIE...
... LA SENSAZIONE È SIMILE A QUELLA DI UN SALTO TEMPORALE. NON È COSÌ?
...
QUELLI SONO RICORDI.

RICORDI, EH?
TIKI
COM'È RIUSCITA A TORNARE DI NUOVO QUI CON UN SALTO TEMPORALE?
...
SENTI, HOSHIKUZU.
POTREMMO NON DIRE NIENTE E FARE UN SALTO TEMPORALE!
TIKI TIKI TIKI TIKI
SKRANG
NON LO FARÒ.
DOVE VA?
A FARE DUE PASSI.
VIENI ANCHE TU?
SÌ.

进入禁止*
* VIETATO IL PASSAGGIO
TIKI
A OGNI MODO, C'È TEMPO PRIMA CHE ARRIVINO LE CHANNA SPAZIALI AD ATTACCARCI?
TI PREOCCUPI SEMPRE TROPPO.
DI TEMPO CE N'È ANCORA!
NEL FRATTEMPO SPASSIAMOCELA QUI!
WAAH!
FLASH

AAAH!
HO SEMPRE VOLUTO SEDERMI QUI!
FIN DA BAMBINA!
C'È TEMPO PRIMA CHE...
GRIP
SEI UN ROMPISCATOLE, HOSHIKUZU!
AH!
EHI, VOI!
FILIAMOCELA, HOSHIKUZU!
SÌ.
DLIN
DLON
DLIN
DLON
DLIN
DLON

* STRATEGIC INFORMATION SYSTEM, SISTEMA CHE ORGANIZZA LE INFORMAZIONI E AIUTA NELLE DECISIONI STRATEGICHE, N.D.T.

TIKI
QUESTA È LA SUA....
VORREI VEDERE LA ME STESSA BAMBINA...
FRUSH
... PRIMA DI ANDARMENE.
GRIP
LOCK
LOCK
...

LO SAPEVO, MI SONO FERMATA.
TIKI
PERCHÉ?
VOGLIO DIRE...
COSA POTREI DIRE ALLA ME STESSA BAMBINA?
CHE PROVO NOSTALGIA?
TIKI TIKI TIKI TIKI TIKI TIKI
TRANQUILLO, HOSHIKUZU.
È MEGLIO CHE LA ME STESSA BAMBINA RIMANGA COSÌ COM'È.
TORNIAMO INDIETRO.
DEVO PARLARE CON LA MAMMA COME SI DEVE.
C'È ANCORA TEMPO PER LE CHANNA SPAZIALI?

EHILÀ!
AVEVI UN BISOGNO URGENTE ANCHE TU?
CE NE HAI MESSO, DI TEMPO!
IO MI SONO FATTA UN GOCCIO...
HOSHIKUZU?
TU DOVRESTI ESSERE IN MANUTENZIONE...
...
CAPISCO...

ALLORA?
CHE VUOI FARE?
...
TE L'HO DETTO, NO?
SE UNO È IN GAMBA, NON MI IMPORTA DA DOVE VENGA...
NEMMENO SE, PER DIRE, PROVASSE A RAPIRE HOSHIKUZU...
...
NON POSSO LAVORARE CON TE.
MI DISPIACE DI AVER PROVATO A RAPIRE HOSHIKUZU.
SODF

PERCHÉ L'HAI FATTO?
...
NON TI FARÒ ARRESTARE...
PROVA A PARLARMENE!
SÌ.
PER FAR SÌ CHE IL GENERE UMANO NON SI ESTINGUA...
... EFFETTUERÒ UN SALTO TEMPORALE PER UCCIDERE...
... LA PRIMA CHANNA SPAZIALE.
PER FARE CIÒ...
... MI SERVE HOSHIKUZU, CHE CONSERVA LE MEMORIE DEL PASSATO.
PECCATO!

È DAVVERO UN PECCATO!
PROPRIO UN PECCATO.
CON UN TALENTO SIMILE...
È...
È LA VERITÀ!
LE CHANNA SPAZIALI STANNO PER ARRIVARE...
ORA BASTA.
A OGNI MODO, RIFIUTI IL MIO INVITO.
SÌ.
...
ORA CHE CI PENSO, TU MI HAI BATTUTA.
SÌ...
LASCIA...
... CHE TI INSEGNI UNA COSA.
HAI DETTO CHE È PER EVITARE L'ESTINZIONE DELL'UMANITÀ, NO?
TI MOSTRERÒ L'UMANITÀ.

ECCO COS'È L'UMANITÀ...
... PER ME.
KYAAAH
...
SEI DELUSA?
MAMMA!
NO...
LO SAI...
SE PENSI ALL'UMANITÀ COME A QUALCOSA DI ENORME...
... NON POSSO INSEGNARTI NULLA NEMMENO VOLENDO.
DEVI PENSARE ALLE PERSONE PIÙ IMPORTANTI PER TE.
EH?
È QUELLA BRAVA RAGAZZA!
GULP
GRR

TAP
FRUSH
CIAO.
CIAO!
VUOI BENE ALLA MAMMA E AL PAPÀ?
SÌ!
E A HOSHIKUZU?
MMH ....
HOSHIKUZU DORME SEMPRE...
... ED È SEMPRE NUDO. MI VERGOGNO.
PIPPI!
HOSHIKUZU È UN ROBOT.
AH! AH! AH!

ASCOLTATEMI TUTTI.
TRA POCO ...
... LE CHANNA SPAZIALI VI ATTACCHERANNO.
QUANDO SUCCEDERÀ...
... FATE SALIRE PIPPI NELLA SCIALUPPA DI SALVATAGGIO.
HOSHIKUZU...
... LO PRENDO IO.
HO UNA MISSIONE.
PROTEGGERE...
... L'UMANITÀ E LA VOSTRA FAMIGLIA.
TU...
COSA ...

CRACK
CRACK
RUUUMBLE
CRACKLE
CRACKLE
CRACKLE
CRACKLE
CRACKLE
WHUP
SONO ARRIVATE.
WHIIIN
WHIIIN
WHIIIN
IMPOSSIBILE.
LE CHANNA SPAZIALI SONO DAVVERO...
MO
MO
MO
MO
LE TESTE DI SERPENTE, ALL'IMPROVVISO...
CHE SIGNIFICA?
SENZA NESSUN PREAVVISO!
SODF
WHIIIN
WHIIIN
WHIIIN
MO

モ MO
モ MO
モ MO
モ MO
モ MO
モ MO
モ MO
POPO! DOBBIAMO PENSARE A PIPPI!
わあああ WAAAH
CHI SEI TU?
CLACK
モ MO
モ MO
FRUSH

(CAPITOLO 18) FINE

CAPITOLO 19
MEMORY OF NINA 2

WHOOON
HO...
WHOOON
WHOOON
HO CAPITO...
SIGH...
WHOOON
WHOOON
WHOOON
TIKI
COSA SUCCEDE?
WHOOON
UHM...
...
IL MIO RAGAZZO HA DETTO CHE NON PUÒ VENIRE...
HAPPY LAND
ようこそ
LA LA LA LA
NON FA NIENTE. D'ALTRONDE È UNA PERSONA IMPEGNATA.

KYAAAH!
ギャ KYAAAAH
LICK
わ WAAAH
WAAAH!
E POI, IO...
... NON SONO PIÙ UNA BAMBINA.
わ WAAAH
RAINBOW GATE
TIKI TIKI TIKI
CHE SIGNIFICA?
GLI UOMINI DEVONO COMPORTARSI DA UOMINI.
E LE DONNE, DA DONNE.
...
MENTRE I BAMBINI POSSONO RIMANERE COSÌ COME SONO.
L'HA DETTO LUI.
TIKI TIKI TIKI TIKI TIKI TIKI TIKI TIKI
COSA SIGNIFICA?
MMH ...
SIGNIFICA CHE GLI ADULTI DEVONO SOPPORTARE.
GIÀ CHE SIAMO VENUTI AL PARCO DIVERTIMENTI, ANDIAMO LÀ!

* BRIVIDI, LA CASA STREGATA

CHE CARI-NA...
AH!
...
CHI È LEI PER TE?
TIKI TIKI
LA MIA MAE-STRA.
MAE-STRA?
UH? CHE VUOL DIRE?
COMUNQUE, VENIRE AL PARCO DI-VERTIMENTI TUTTA DA SOLA...
TIKI TIKI TIKI TIKI
È FIDAN-ZATA!
UUURGH...
GGH!
RATTLE
ヨロ...

UN...
UN...
RATTLE
RATTLE
UN...
RATTLE
RATTLE
UN...
RATTLE
UN ADULTO.
FLAP
EH?
PLIC
PLIC
PLIC
COSA?
TAP
TAP
TAP
TAP
MI SCUSI, SIGNORE! QUESTE BANCONOTE SONO SPORCHE DI SANGUE!
TAP
TAP
TAP
SIGNORE!
IL SANGUE!

DASH
TAP
WAH!
TAP
TAP
WAAH!
TAP
TAP
CLICK
WAAAH! SIGNORI, UN MOMENTO! SIGNORI!
IL BIGLIET-TO...
AAAAH!
PURE TU!
TIKI TIKI
TIKI TIKI
TIKI TIKI

FLASH
TIKI
TIKI
TIKI
TAP
TAP
TAP
WOOOSH

TIKI TIKI
TIKI TIKI
BIP!
PER CASO HA VISTO QUESTA RAGAZ-ZA?
WOOOSH
QUE-STO TEM-PIO...
... È MALE-DETTO ...
GRAZIE MILLE.
È ANDA-TA DA QUELLA PARTE.
TIKI TIKI TIKI
BIP!
DI LÀ.
GRAZIE MILLE.
TAP
TAP
TAP
STOP
PAFF
TAP
TAP
TAP
TAP

TI TAGLIERÒ LA GOLA...
TIKI TIKI
BIP!
...
SONO IO! IO!
BASH
NON SONO UN ROBOT!
UFFA!
COME HAI FATTO A NON RICONOSCERMI, HOSHIKUZU?
È PERCHÉ SONO VESTITA IN MODO DIVERSO DAL SOLITO?
CON GLI OCCHIALI...
... E UN ALTRO TIPO DI MUTANDI...
...
QUINDI?
CHE TI PRENDE, HOSHIKUZU?
È SUCCESSO QUALCOSA?

UN UOMO CON UNA PISTOLA E COPERTO DI SANGUE?
UHM...
NON SO SE FOSSE VERO O MENO, MA PER ORA SAREBBE MEGLIO SCAPPARE...
...
SE IL MIO RAGAZZO NON FOSSE IRRAGGIUNGIBILE, NON LO RICONOSCEREI...
SE I PANDA NON FOSSERO CARINI, GLI ZOO CHIUDEREBBERO.
E COSA SUCCEDEREBBE SE UNA CASA STREGATA NON FACESSE PAURA?
LUI...
... DIREBBE COSÌ.
BANG
BANG
BANG
BANG
BANG
QUESTA CASA STREGATA NON FA PER NIENTE PAURA.
CAPITA A FAGIOLO.

WOW!
ZUSH
SAN-
GUE?

WAH!
È VERO. È TUTTO APPICCICOSO.
EHI, PICCOLA.
...
CHI DI VOI MI HA CHIAMATA...
... ADESSO?
IO.
...
COSA C'È?
DAMMI DA ACCENDERE.

...
DA ACCENDERE?
TIKI TIKI
NINA...
VA TUTTO BENE, HOSHIKUZU.
CONTROLLO SOLO LE SUE CONDIZIONI.
FRUSH
SI FA UN ULTIMO TIRO PRIMA DI MORIRE?
...
LA LUCE DI QUELLA LAMPADA...
LA FIAMMA È SPENTA!
...
UHM...
NON FA PER NIENTE PAURA.
LA REALTÀ È UNA NOIA, EH?

PIANTALA DI LAGNARTI PER DELLE SCIOCCHEZZE.
RATTLE
RATTLE
RATTLE
FA' SILENZIO E DAMMI DA ACCENDERE, RACCHIA!
!
COS'È QUELL'ATTEGGIAMENTO?!
CHI SAREBBE LA RACCHIA, RAZZA DI ZOMBIE?!
BLINK
LE MOCCIOSE CHE SI METTONO LE MUTANDINE NERE PRIMA DI ESSERE DIVENTATE ADULTE MI FANNO VOMITARE.
COSA GUARDI, MANIACO?!
SBRIGATI A CREPARE!
CLICK
TIKI

CRASH
DASH
BANG
!
CRACK
BANG
STONF

...
GNEECK
STAI BENE, NINA?
CRICK
...
HO-SHIKU-ZU.
ALLO-RA...
... NON ERI UNA BIMBETTA PISCIA-SOTTO.
...
MA CHE VUOI?
VOLEVI QUALCOSA PER ACCENDERE, MA CE L'AVEVI PROPRIO IN MANO, NO?
...

MI PIACI.
...
MA SEI ANCORA UNA MOCCIOSA.
STONF
SNEECK
NON APPENA SARAI UN PO' PIÙ ADULTA, VERRÒ A CHIEDERTI DA ACCEN...
... DE-RE!
AHI!
...
CHI DIAVOLO SEI, TU?!

IL MIO NOME È TAIHEI.
EHI, ROBOT.
FINCHÉ NON VERRÒ A PREN-DERMELA, PRENDITI CURA DI QUESTA QUI.
TIKI TIKI
SÌ.
HO-SHIKU-ZU?
CI VE-DIA-MO.
ASPET-TA UN ATTIMO! COSA SIGNIFI-CA?
LE TUE FERI-TE...
RATTLE
RATTLE
THUD
WAH!
EH!
MA CHE VUOLE, QUEL-LO?!

やきそば
栗
天津甘栗
CLACK
TIKI TIKI
BUONASERA, SIGNOR TAIHEI.
...
EHILÀ!
CI INCONTRIAMO DI NUOVO!

CLACK
CLACK
CLACK
OOOH! IL TUO OCCHIO È GUA-RITO, EH?
SÌ.
CHE NE È DI QUELLA LÀ?
LA PICCOLA PISCIA-SOTTO...
NINA È ANDATA IN BAGNO E SI È PERSA.
BWAH! AH! AH!
LO SA-PEVO, È PROPRIO UNA POP-PANTE!
BAM
BAM
COME STA LA SUA FERITA ALL'ADDO-ME?
A PO-STO.
PAFF
GRA-ZIE AL CIELO.
TIKI TIKI TIKI
QUEL GIORNO, IL SIGNOR TAIHEI DISSE...
... "NON APPENA SARAI UN PO' PIÙ ADULTA, VERRÒ A CHIEDERTI DA ACCENDERE".
...
COME TI CHIA-MI?

MI CHIAMO HOSHIKUZU.
È PROPRIO UN BEL NOME.
E...
GUARDA!
PRENDILO, HOSHIKUZU.
CHE COS'È?
UN RINGRAZIAMENTO.
PERCHÉ MI HAI SALVATO LA VITA.
MI DISPIACE RINGRAZIARTI CON QUESTO, MA...
... SE TE LO FAI CAMBIARE CON DEI SOLDI, PUOI COMPRARE UNA BATTERIA O DUE.
TIKI TIKI TIKI TIKI TIKI TIKI
NON POSSO ACCETTARE QUALCOSA DI TANTO COSTOSO DA UNO SCONOSCIUTO.
NON ESSERE COSÌ DURO.
NON SIAMO AMICI, MA È COME SE LO FOSSIMO.
...

CLACK
È POS-SIBI-LE...
... CHE UN GIORNO VIVREMO INSIEME.
CLACK
TIKI TIKI
NINA HA UN FIDAN-ZATO.
CLACK
ALLORA, HOSHIKU-ZU...
POSSO CHIE-DERTI UN FAVORE, IN CAM-BIO?
MI SONO DIMEN-TICATO L'ACCEN-DINO...
SONO DIMA-GRITO?

CLACK
CLACK
TIKI
CLACK
NINA.
CLACK
CLACK
CLACK
HOSHIKUZU.
CLACK
A DIRE IL VERO, IL VENDITORE MI HA CHIESTO UN FAVORE.
CI SIAMO INCONTRATI LAGGIÙ POCO FA.
ANCHE SE L'HO RIEMPITO DI BOTTE.
CLACK
CLACK
CLACK
CLACK
TIKI TIKI
CLACK
CLACK
PERCHÉ L'HA RIEMPITO DI BOTTE?
...
IO, QUELLO...
... LO ODIO DA MORIRE!
(CAPITOLO 19) FINE

* ANTICA MONETA D'ORO GIAPPONESE, N.D.T.

* EQUIVALENTE GIAPPONESE DEL MODO DI DIRE "CANI E PORCI", N.D.T.

UN GAMBERO.
...
E POI?!
THUD
UN GAMBERO.
TAP
TAP
E POI?!
UN GAMBERO...
TAP
E POI?!
COSA PESCHERAI?!
ZASH
PLUFF
SPLASH
SPLASH
IL PROSSIMO, HOSHIKUZU!
SÌ.
SWISH
ECCOLO!
HOSHIKUZU!
GNEECK
GNEECK
GNEECK
SÌ.

BOP
BOP
BOP
QUESTO È...
TIKI TIKI
NON È UN'ORATA!
BAM
UNO SCORFANO NERO.
MA È UN PESCE.
SE NON È UN'ORATA, BUTTALO VIA! VIA!
SHAAAA
ANCHE IL GATTO E IL MESTOLO! VIA!
UFF...
STUPIDO MARE!
SHAAAAA
(CAPITOLO 20) FINE

CONTINUA

NINA STARDUST

Satoshi Fukushima

3

JPOP è una collana di
Edizioni BD srl
Viale Coni Zugna 7
20144 Milano
www.edizionibd.it www.j-pop.it
info@edizionibd.it

Traduzione di
Monica Bollini

Lettering di
Vibrraant IT

Stampa
Grafiche Ambert
Verolengo (TO)

ISBN: 9788832753806